Le garçon qui criait au loup

D'après l'histoire d'Ésope

Mairi Mackinnon

Illustrations de
Mike et Carl Gordon

Texte français de France Gladu

Éditions
M SCHOLASTIC

C'est l'histoire de

Sam,

de quelques moutons,

de villageois

et (peut-être) d'un loup.

Sam habite un petit village
dans les montagnes.

Chaque jour, il conduit les moutons depuis le village

jusqu'à un vert pâturage au sommet de la montagne.

Nous y revoilà.

Il veille sur eux du matin au soir.

Puis il les ramène à la maison.

Tous les jours, c'est pareil.

Sam se sent seul et s'ennuie
BEAUCOUP.

Tous ses camarades sont en bas, au village.

Il essaie de parler aux moutons.

Mais ils n'ont pas
grand-chose à dire.

13

— Personne ne monte jamais
jusqu'ici, se lamente Sam.

Il n'arrive jamais rien.

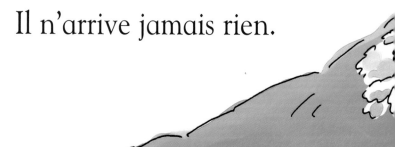

Un jour, une idée lui vient.

Il dévale la montagne
jusqu'au village.

— Un loup! crie-t-il. Un loup
est sorti de la forêt!

Tous courent avec lui au sommet de la montagne.

À bout de souffle, ils
atteignent le pâturage.

Évidemment, il n'y a pas
de loup.

Les moutons broutent l'herbe
tranquillement.

21

Les villageois sont en colère,
mais Sam se tord de rire.

C'est tellement drôle!

Quelques jours plus tard,
Sam s'ennuie encore.
Il dévale la montagne
jusqu'au village.

— Un loup! crie-t-il. Un loup
est sorti de la forêt!

Certains villageois ne le croient pas.

Mais la plupart courent
au sommet de la montagne,
par précaution.

27

À bout de souffle, ils
atteignent le pâturage.

Évidemment, il n'y a pas de
loup.

Les moutons broutent l'herbe tranquillement.

Une semaine plus tard,
Sam s'ennuie encore.
Il dévale la montagne
jusqu'au village.

Cette fois, peu de gens le croient. Seuls quelques villageois courent au sommet de la montagne.

À bout de souffle, ils
atteignent le pâturage.

Évidemment, il n'y a pas
de loup.

Les moutons broutent l'herbe
tranquillement.

Tout le monde est furieux.
Sam rit à gorge déployée.

Après quelques jours, un loup
sort VRAIMENT de la forêt.

Sam est terrorisé. Il descend
au village aussi vite qu'il
le peut.

Personne ne le croit.

Sam supplie les villageois de l'accompagner.

Cette fois, ils se moquent bien de lui.

Finalement, Sam doit remonter
seul sur la montagne.

Le loup a tué quelques-uns
des moutons.

Les autres
se sont enfuis.

Sam reste dans le pâturage jusqu'à la tombée de la nuit.

Les villageois finissent par
venir le chercher.

— Pourquoi ne m'avez-vous pas cru? demande-t-il.

— Tu nous as menti si
souvent, répondent-ils.

— J'ai appris ma leçon. Je ne
le ferai plus jamais, dit Sam.

À propos de l'histoire

Le Garçon qui criait au loup est l'une des fables d'Ésope, un ensemble de courtes histoires que l'on racontait dans la Grèce antique il y a environ 4 000 ans.

Personne ne sait exactement qui était Ésope, mais ses histoires sont toujours populaires et connues partout dans le monde.

Les fables portent souvent sur des animaux et se terminent toujours par une « morale » (un message ou une leçon).

Voici la morale de l'histoire
du garçon qui criait au loup :

On ne croit pas les menteurs,
même quand ils disent la vérité.

Conception graphique : Michelle Lawrence

Catalogage avant publication de Bibliothèque et Archives Canada

Mackinnon, Mairi

Le garçon qui criait au loup / renarré par Mairi Mackinnon ;
illustrations de Mike et Carl Gordon ; texte français de France Gladu.

(Petit poisson deviendra grand)
Traduction de : The boy who cried wolf.
Pour les 5 à 7 ans.
ISBN 978-0-545-98290-0

I. Gordon, Mike II. Gordon, Carl, 1972- III. Gladu, France, 1957-
IV. Titre. V. Collection: Petit poisson deviendra grand (Toronto, Ont.)

PZ24.2.M33Ga 2010   j823'.92   C2009-904421-8

Édition publiée par les Éditions Scholastic,
604, rue King Ouest, Toronto (Ontario) M5V 1E1,
avec la permission d'Usborne Publishing Ltd.

5 4 3 2 1   Imprimé à Singapour 46   10 11 12 13 14

Dans cette collection

NIVEAU 2

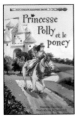

L'énorme
navet

Le garçon qui
criait au loup

Princesse Polly
et le poney

Dino n'a plus
de voix

NIVEAU 3

Le
Casse-Noisette

Histoires
de fantômes

Aladin
et sa lampe
magique

Histoires
de princes et
de princesses